I Ben, fy arlunydd pant-astig ~ CF

I Ruth, gyda chariad mawr ~ BC

Cyhoeddwyd gyntaf yn 2010 gan Simon & Schuster UK Ltd,
1st Floor, 222 Gray's Inn Road, Llundain WC1X 8HB
dan y teitl *Aliens Love Panta Claus*

Cyhoeddwyd gyntaf yn Gymraeg yn 2011 gan Wasg Gomer,
Llandysul, Ceredigion SA44 4JL
www.gomer.co.uk

Testun ⓗ Claire Freedman, 2010 ©
Lluniau ⓗ Ben Cort, 2010 ©
Testun Cymraeg ⓗ Eurig Salisbury, 2011 ©

Mae Claire Freedman a Ben Cort wedi datgan eu hawl dan Ddeddf Hawlfraint,
Dyluniadau a Phatentau 1988 i gael eu cydnabod fel awdur ac arlunydd y llyfr hwn.

ISBN 978 1 84851 409 6

Argraffwyd yn China

PO10263431

Antur Fawr Panta Clos

Claire Freedman & Ben Cort

Addasiad Eurig Salisbury

Gomer

Heno, ar Noswyl Nadolig,
A fedri di ddyfalu be'
Mae Pobl y Pants o'r Gofod
Yn rhoi yn anrhegion? . . . Ie?

Ie, pants i bob un ar y ddaear!
Ar wib maen nhw'n hedfan draw
I Wlad yr Iâ, sy'n wyn i gyd,
At Santa, i roi help llaw.

Maen nhw'n darllen yr holl lythyrau
At Santa gyda gwên,
Cyn rhoi pants ym mhob bocs teganau
Am ddim – on'd 'dyn nhw'n glên?

Yng ngweithdy prysur Santa
Maen nhw wrth eu bodd, mewn chwinc
Yn gwisgo'r holl gorachod bach
Mewn nicyrs fflwfflyd, pinc.

Ond nid y nhw yn unig
Sy'n gwisgo pants, gyda llaw –
Mae gan y ceirw rai mawr pert
Sy'n goleuo'n neon – waw!

Mae Santa bron yn barod,
Ond sbiwch! O, bobl bach!
Yr hyn maen nhw'n ei lenwi
Yw pants ac nid ei sach!

'Ho, ho, ho!' meddai Santa
Gan ysgwyd ei fol mawr tew,
Ond o! Na! Mae'r sled
Wedi torri ar y rhew!

Meddai Pobl y Pants o'r Gofod,
'Dewch gyda ni – mae lle;
Ac fe alwn ni chi heno, Santa,
Yn Panta Clos – hwrê!'

Wrth hedfan fry o do i do,
Yn wir, roedd e'n ffantastig
Gweld Santa'n llithro lawr ar raff
O bants mawr cryf, elastig.

Gan ddilyn Santa'n ddistaw,
Ddistaw, drwy'r oriau mân,
Mae'r criw'n newid pob un hosan
Am bâr o bants bach glân.

Ac wrth addurno'r goeden
Â phants amryliw, hynod,
Rhaid cofio'r un sy'n dweud yn glir –
'Anrheg bach o'r Gofod!'.

Anrheg bach
o'r Gofod!

Yn ôl i'r gofod â Phobl y Pants,
Gan eu bod nhw nawr yn rhydd,
Ond dal yn sownd i'th bants bach di –
Fe ddôn nhw'n ôl rhyw ddydd!